© 2017 Albin Michel Jeunesse — 22, rue Huyghens, 75014 Paris — www.albin-michel.fr — Loi n° 49-956 du 16 juillet 1949 sur les publications destinées à la jeunesse — Dépôt légal : second semestre 2017 — N° d'édition : 22775/03 ISBN-13 : 978 2 226 39960 1 — Imprimé en France chez Pollina s.a. - 83080

Astrid Desbordes

Pauline Martin

Ce que
j'aime vraiment

Albin Michel Jeunesse

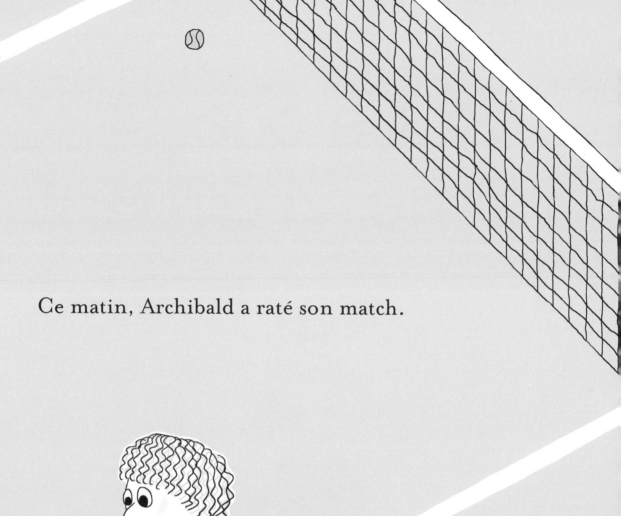

Ce matin, Archibald a raté son match.

Suzanne, elle, l'a bien réussi.

Le lendemain et les jours suivants,
Archibald s'est entraîné.

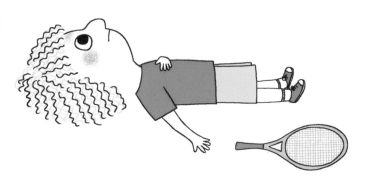

Mais ça n'a pas beaucoup changé.

Un mercredi, Archibald s'est senti tout petit.
« Je ne suis vraiment pas doué », a-t-il dit.
Alors sa maman l'a emmené se promener.

Ils ont vu un bel oiseau blanc
au bord de la rivière.
Archibald et sa maman
l'ont écouté chanter.

« Est-ce que tu crois que
cet oiseau n'est pas doué
parce qu'il ne sait pas nager ? »
a demandé sa maman.

Un peu plus loin, sur une fleur,
ils ont vu un papillon.
Archibald et sa maman
l'ont regardé s'envoler.

« Est-ce que tu crois que
ce papillon n'est pas doué
parce qu'il ne sait pas chanter ? »
a demandé sa maman.

Et puis, à l'heure du goûter,
ils sont allés sous un pommier.

« Est-ce que tu crois que ce pommier
n'est pas doué parce qu'il ne sait pas voler ? »
a demandé la maman d'Archibald.

Archibald a regardé l'oiseau,
le papillon, le pommier,
et sa maman qui lui souriait.
« Ah, ça non ! » a répondu Archibald.

« Eh bien, c'est pareil pour toi.
Tu ne peux pas tout réussir,
mais si tu trouves ce que tu aimes vraiment,
ce qui est important pour toi,
tu le réussiras. »

À la maison, Archibald a cherché
ce qu'il aimait vraiment.

Cuisiner ?

Danser ?

Viser ?

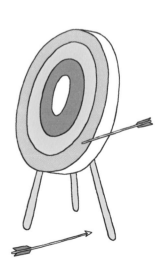

Immobiliser ?

Imaginer ?

Réciter ?

À l'école,
il a continué de chercher.

Et un soir, il ne cherchait plus,
mais il a trouvé.

Archibald a expliqué ce qui était
vraiment important pour lui.
Son papa a applaudi,
sa maman aussi.

Le lendemain et les jours suivants,
Archibald s'est entraîné.
Le matin et le soir,
parfois très tard.

Certains jours,
Archibald s'est senti
un peu découragé.

Mais ses parents,
et même sa petite sœur,
eux, n'ont jamais douté.
Et puis un jour…

… devant son piano,
il s'est senti
comme un pommier,
un papillon et un oiseau.